GUY LAFLEUR

Christine Ouin et Louise Pratte

Des mêmes auteures, dans la même collection :
-Julie Payette

Des mêmes auteures :
- Mon premier guide de voyage au Québec, Ulysse, 2009.

Graphisme : Geneviève Guertin

Photographies de la couverture:
Guy Lafleur : © Photofile
Rondelle : stock.xchng
Illustrations et autres photographies : Shutterstock

Dépôts légaux : 3e trimestre 2010
Bibliothèque nationale et archives du Québec
Bibliothèque nationale du Canada

Les Éditions Goélette bénéficient du soutien financier de la SODEC pour son programme d'aide à l'édition et à la promotion.

Nous remercions le gouvernement du Québec de l'aide financière accordée par l'entremise du Programme de crédit d'impôt pour l'édition de livres, administré par la SODEC.

Imprimé au Canada

ISBN : 978-2-89638-767-0

Table des matières

Le Démon blond 7
Le hockey sur glace 31
Activités et Miniquiz 43
Biographies des auteures 69

LE DÉMON BLOND

Le Démon blond

- Guy! Guy! Guy!

Dans les gradins, la foule hurle, vibre, trépigne!

- Guy! Guy! Guy!

Le Démon blond saute sur la patinoire. Le public retient son souffle. Une fraction de seconde, les spectateurs le perdent de vue. Il est si rapide qu'on ne sait plus où il est. Il ne va pas tout de suite à la rondelle. Mais on dirait que c'est elle qui vient à lui! Dans les gradins, c'est l'extase. La magie fait son œuvre! Hypnotisée, la foule ne quitte pas le joueur des yeux. Mais le défenseur, lui, ne le voit pas! À la vitesse de l'éclair, Lafleur le frôle, le contourne, passe la rondelle de l'autre côté, la rattrape. D'un léger revers, il projette la rondelle par-dessus l'épaule du gardien, qui tombe à terre en le voyant foncer sur lui. Le filet s'agite doucement, comme un drapeau qui flotte au vent. La lumière rouge s'allume.

C'EST LE BUT!

GUYYYYYYYYYYY !

Les lettres clignotent sur le panneau lumineux. La foule est debout. Un formidable frisson la traverse. Les gens rient, applaudissent, scandent son nom encore plus fort.

Emporté par son élan, Lafleur fait le tour du filet, lève bien haut les bras en signe de victoire. Il sourit, rayonnant devant les millions de spectateurs et téléspectateurs.

Qui est Guy Lafleur ?

On l'appelle aussi le Démon blond ou Flower.

Guy Lafleur est un grand hockeyeur sur glace québécois qui a joué dans la Ligue nationale de hockey (la LNH). Il a permis à l'équipe des Canadiens de Montréal de remporter cinq fois la coupe Stanley. Il est membre du Temple de la renommée du hockey. Il est très célèbre au Québec et dans le monde entier.

Le maillot de Guy Lafleur porte le numéro 10.

Graine de champion

Mais avant d'être un grand champion, Guy a d'abord été un petit garçon.

Guy Lafleur est né le 20 septembre 1951 à Thurso, au Québec. Il est le deuxième des cinq enfants de Réjean et Pierrette Lafleur. Il a quatre sœurs, Suzanne, Gisèle, Lise et Lucie.

Tout commence à Noël. Guy a six ans. Il serre contre lui la paire de patins neufs qu'il vient de recevoir. Il a mis son beau chandail aux couleurs de l'équipe des Canadiens de Montréal et il est fier ! Sa tuque de côté lui donne l'air déluré. Vite, il lace ses patins et se lance sur la petite patinoire que son père a aménagée dans la cour de leur maison. Il tombe sur la glace, se relève, essaie de glisser, tombe encore, et se relève ! Et recommence.

Il est maladroit avec son bâton de hockey. Mais comme il s'amuse ! Il forme des équipes avec ses copains et joue du matin au soir. Il est pris de la fièvre du hockey.

À huit ans, il décide d'entrer dans la ligue de hockey mineur de Thurso, la ville où il habite. Il sait qu'il est chanceux de vivre près de la seule aréna de la région. Il est passionné et s'entraîne sans arrêt.

Thurso se trouve en Outaouais. Aujourd'hui, l'aréna s'appelle l'aréna Guy Lafleur.

Un jour, il est seul, sur la glace neuve, heureux, il zigzague avec la rondelle. Il monte vers le filet adverse, freine, revient sur ses pas, se fait une passe par la bande, franchit la ligne bleue, revient vers le centre, déjoue un adversaire invisible. Il se retrouve seul devant le filet. Il feinte à droite, feinte à gauche, il lance et…

- LAFLEUR ! QU'EST-CE QUE TU FAIS LÀ ? TONNE UNE GROSSE VOIX.

Sur la glace, le garçon manque de tomber à la renverse tellement il est surpris.

Le gardien, en pyjama, vient de se réveiller. Il n'est pas content du tout.

- SAIS-TU QU'IL EST SIX HEURES DU MATIN, MON GARÇON ? MAIS D'ABORD, COMMENT ES-TU ENTRÉ ?

- JE SUIS PASSÉ À TRAVERS LE MUR...

- PARCE QUE TU PASSES À TRAVERS LES MURS, EN PLUS !

Guy emmène alors le gardien devant le trou par lequel il est entré. Le gardien ne peut pas se fâcher. Il est aussi un joueur de hockey passionné.

- BON, D'ACCORD, JE NE RÉPARERAI PAS LE MUR ET TU POURRAS VENIR T'ENTRAÎNER. MAIS NE LE DIS À PERSONNE !

Guy le Pee Wee

Après ses débuts dans une équipe de Moustiques, Guy fait son entrée dans la formation Pee Wee. Lors de la distribution des maillots, tous les garçons réclament le numéro 9, celui de l'illustre Maurice Richard, qui vient juste de se retirer du jeu.

MAURICE RICHARD

Maurice Richard, dit « le Rocket », a été le plus grand joueur de l'histoire de la Ligue nationale de hockey. Avec les Canadiens de Montréal, il a gagné huit fois la coupe Stanley. Il a été le premier joueur à avoir marqué 50 buts en 50 matchs, un record devenu légendaire. Animé par la rage de vaincre, il est adoré par le public québécois auquel il a donné la passion du hockey.

ROCKET

Mais l'entraîneur de l'équipe donne le numéro 9 à un joueur plus grand et plus fort que Guy. Les autres gars sont déçus, mais pas lui, parce qu'il veut le numéro 4, celui de son idole, celui de Jean Béliveau.

JEAN BÉLIVEAU

Jean Béliveau, surnommé « le gros Bill », a joué pendant 20 ans dans la Ligue nationale de hockey. Il a gagné de nombreux trophées et 10 fois la coupe Stanley. Puissant et élégant, il a représenté un modèle pour tous les jeunes hockeyeurs québécois.

Hélas, l'entraîneur attribue le numéro 4 à quelqu'un d'autre. Guy est bien malheureux. Il fait la grimace lorsqu'on lui remet le numéro 10.

– QU'EST-CE QUE TU AS, LAFLEUR, TU N'ES PAS CONTENT ? GROGNE L'INSTRUCTEUR DEVANT SA MINE DÉSAPPOINTÉE. TU PEUX RENTRER CHEZ TOI SI TU VEUX !

– JE SUIS CONTENT !

– ALORS, CHANGE D'AIR.

Guy se résigne à porter le numéro 10. Il ne sait pas encore qu'il rendra ce numéro glorieux. Il dépense des trésors d'énergie pour prouver ce dont il est capable. Il est toujours prêt à jouer et à s'exercer. Il participe à de nombreux matchs et marque de plus en plus de buts. Il devient le meilleur joueur Pee Wee de la région. Ses prouesses attirent l'attention. À Thurso, on le considère déjà comme un héros !

À l'âge de 10 ans, il est engagé dans l'équipe de Rockland, un village situé en face de Thurso, de l'autre côté de la rivière des Outaouais, pour participer au tournoi international Pee Wee de Québec. Pour rejoindre Rockland, Guy doit traverser la rivière gelée.

Mais ce jour-là, une énorme tempête de neige envahit le ciel. Déterminé à rejoindre l'équipe, Guy tire péniblement sa traîne sauvage sur la surface glacée. La tuque enfoncée sur la tête, le petit garçon affronte,

les dents serrées, les bourrasques de neige. Soudainement, son père, qui marche courbé à côté de lui, s'arrête. Derrière eux, il ne distingue presque plus l'église ni les grandes cheminées de l'usine de Thurso. Et devant, du côté de Rockland, il ne voit qu'un immense mur blanc.

– ÇA NE DONNE RIEN DE CONTINUER, C'EST TROP DIFFICILE. ON RETOURNE À THURSO, DIT-IL.

– JE CONTINUE, JAMAIS JE NE MANQUERAI LE VOYAGE À QUÉBEC, MURMURE GUY, DU BOUT DE SES LÈVRES FRIGORIFIÉES.

– NON, C'EST TROP LOIN ET LA TEMPÊTE EMPIRE.

– ON EST PRESQUE À LA MOITIÉ DU CHEMIN. SI JE PEUX RENTRER CHEZ NOUS, JE PEUX AUSSI BIEN ALLER JUSQU'À ROCKLAND.

Seul, tout petit dans l'immensité, Guy s'enfonce dans la tourmente, luttant contre le vent pour avancer.

Sans jamais lâcher son équipement, il progresse farouchement jusqu'à ce qu'il aperçoive enfin au loin les lumières blafardes de ceux qui viennent le chercher.

Dans la voiture ralentie par la tempête qui l'emmène à Québec, Guy se tait. Il ne chante ni ne rit avec les autres. Concentré, il regarde la nuit par la fenêtre. De temps en temps, il distingue des lueurs sur la plaine et il imagine le vaste monde. Il est excité, heureux. Une seule chose l'inquiète : sa mère a jugé bon de lui acheter des patins neufs et de nouvelles jambières. Lui qui n'aime que son vieil équipement ! Il n'a jamais apprécié le neuf. Heureusement qu'il a conservé ses gants usés.

Enfin, au matin, il pénètre dans le lieu magique : le Colisée de Québec. Que c'est grand et impressionnant ! Il le parcourt de fond en comble. Du haut des gradins, la patinoire ressemble à un lac de lumière vive. Il frissonne. Jean Béliveau a accompli des prouesses ici. Seul, Guy reste des heures sur son perchoir. Il rêve en contemplant la glace.

Il rêve puis il gagne ! Dans le Colisée, les 15 000 spectateurs du tournoi hurlent leur joie. La foule est debout : Guy vient de marquer son trentième but ! Son « lancé frappé »

devient renommé. Il reçoit le trophée Red-Storey pour cet exploit. Deux ans après, il en reçoit un deuxième. Il a juste 12 ans, mais dès ce moment, il est repéré par le gérant de l'équipe Junior de Québec.

– QUAND IL AURA 15 ANS, J'AIMERAIS L'AVOIR À QUÉBEC, DIT CE DERNIER AU PÈRE DE GUY.

RÉJEAN LAFLEUR

Guy admire son père et lui voue un grand respect. Cet homme simple et généreux exerce le métier de soudeur et travaille beaucoup pour nourrir sa famille. Mais il assiste à tous les matchs de son fils. Il est passionné par le hockey même s'il n'a jamais joué. Et bien qu'il ne parle pas beaucoup, Guy sait à quel point son père est fier de lui.

De retour à Thurso, le jeune Guy s'entraîne avec acharnement. Maintenant, il sait qu'il veut devenir joueur de hockey. Il n'y a plus rien d'autre qui compte pour lui. Tous les jours, il file à l'aréna, prépare la glace et joue pendant des heures. Il possède une sorte de science innée pour développer ses muscles, acquérir une plus grande vitesse et davantage d'endurance. Il emprunte la montre de son père et s'amuse à retenir son souffle une minute, puis deux, puis :

– MAMAN ! GUY EST EN TRAIN DE SE SUICIDER ! HURLE UNE DE SES SŒURS AFFOLÉE DEVANT LE JEUNE GARÇON TOUT ROUGE, QUI REPREND AUSSITÔT SA RESPIRATION EN LA REGARDANT D'UN AIR NARQUOIS.

Guy saisit chaque occasion de s'endurcir. Pour se donner du souffle, il court en allant à l'école et sur le chemin de l'aréna, il monte et descend des escaliers à toute allure. Pour aiguiser ses réflexes, il joue au ping-pong et au tennis. Pour développer ses muscles, il travaille dans une ferme. Jour et nuit, hiver comme été, sous la pluie ou le soleil, Guy ne pense qu'à ça : s'entraîner. Pour être au meilleur de sa forme lors de la prochaine saison de hockey.

En dehors de l'aréna et du sport, il est timide et peu démonstratif. C'est un garçon sérieux, discipliné, ordonné. Il ne se confie pas beaucoup. Mais il est animé par une détermination obstinée. Il sait ce qu'il veut et cela le distingue. Sur la glace, il révèle un sang-froid peu commun. Jamais pris au dépourvu, il n'a aucune hésitation. Il peut faire preuve d'une concentration extraordinaire.

CONSEILS DE PRO

«Le meilleur conseil que je peux donner à un jeune qui veut faire carrière dans le hockey, c'est de participer aux tournois de sa catégorie et de visiter des villes de sa région, car c'est comme ça que des éclaireurs professionnels découvrent de jeunes talents.

La pire erreur que les parents font, c'est de comparer un jeune hockeyeur à un joueur professionnel. Exemple: il patine comme Jean Béliveau ou il lance comme Guy Lafleur. Chaque jeune joueur doit développer son propre style et ne jamais copier quelqu'un d'autre.»

GUY LAFLEUR

Junior à Québec

À 15 ans, il s'installe à Québec, la ville des triomphes de son enfance. Il est pourtant passablement dépaysé. Est-ce la ville ou lui qui a changé? Il a grandi et ne retrouve

plus ses points de repères. Quand son père le quitte avec un dernier signe de la main, Guy ressent un choc au creux de l'estomac. Il comprend que la carrière de joueur de hockey qu'il a tant souhaitée commence à cet instant précis. La carrière, mais aussi la solitude. Là, planté sur le trottoir, il se sent terriblement seul dans un monde inconnu.

Guy s'adapte vite à la grande ville. Sa logeuse est aux petits soins pour lui comme une deuxième maman. Il devient un véritable joueur professionnel. Tout en continuant ses études à l'école, il poursuit un entraînement intensif. Il suit un stage à l'École moderne de hockey. Il accomplit des exercices, reçoit des cours de maniement de la rondelle, étudie les astuces des gardiens de but, apprend la théorie des jeux offensif et défensif. Il travaille sans relâche. Il se présente toujours à l'entraînement avant tous les autres. S'il constate une faiblesse, il s'applique sans fin à s'améliorer et se corriger.

Son intensité et sa persévérance impressionnent ses entraîneurs. Formidablement doué, il est capable de s'emparer de la rondelle aussitôt qu'il saute sur la glace avec une immense facilité, et il peut la lancer depuis la ligne bleue avec beaucoup de force et une précision incroyable.

Avec les As de Québec, puis les Remparts, Guy connaît une ascension fulgurante. Il passionne les habitants de Québec et tout le monde le connaît. Il porte maintenant le numéro 4 et il bat des records. Il devient le premier joueur de l'histoire du hockey junior canadien à compter 130 buts en une saison. Il est le pilier de l'équipe, qui gagne la coupe Memorial.

Ses succès l'encouragent à s'exercer encore davantage. Il devient un athlète accompli. Outre sa rapidité stupéfiante, il développe une formidable force d'accélération, et une incroyable capacité de changer de direction et de modifier sa vitesse. Grâce à des feintes extraordinaires, il déjoue tous les défenseurs adverses. Sa capacité de prévoir les coups est étonnante. Une fois, lors d'un match, son jeu est si brillant qu'il éblouit Sam Pollock, le directeur de l'équipe des Canadiens de Montréal.

UN ATHLÈTE EXCEPTIONNEL

Guy Lafleur mesure six pieds et pèse 185 livres. Il est musclé, souple, fort. Il a des réflexes vifs et sûrs, et possède une formidable faculté de récupération. Son rythme cardiaque est idéal.

Et c'est ainsi qu'un jour, Guy, intimidé, entre dans le hall de l'hôtel Reine-Élizabeth bondé de photographes. Peu à peu, il sent la tension qui l'habite depuis la veille le quitter. Il avance sous les applaudissements et le crépitement des flashs. La foule s'écarte pour le laisser passer. Il a l'impression de vivre un rêve, il est heureux et il sourit. Il monte l'escalier monumental qui conduit à la grande salle. Soudain, par-dessus le bruit, il entend une voix qui répète, en français et en anglais: «Les Canadiens de Montréal ont choisi Guy Lafleur au premier rang du repêchage.»

Toute l'attention se tourne vers lui. Il salue. Il se sent au sommet. Il a atteint son but. Il va jouer avec la plus grande équipe du monde: Les Canadiens de Montréal. Il n'a pas encore 20 ans.

LE REPÊCHAGE

Les équipes de hockey professionnelles choisissent des hockeyeurs jouant pour des clubs de niveau junior : ils les « repêchent ».

Les Canadiens de Montréal

Guy se demande s'il rêve. Il doit se pincer quand il entre pour la première fois dans le vestiaire de l'équipe des Canadiens. Les maillots de tous ces joueurs célèbres étalés devant lui et les coupes Stanley qu'ils ont remportées l'émerveillent. Les plus grands noms du hockey sont là. Est-ce vraiment la réalité ? Il a regardé ses coéquipiers à la télévision pendant des années et maintenant il joue parmi eux !

LES CANADIENS DE MONTRÉAL

C'est la plus ancienne équipe de la LNH toujours en activité et celle qui a gagné le plus grand nombre de trophées. Elle est considérée comme la meilleure équipe du monde. Son logo est formé d'un C bleu, d'un H blanc, d'un C rouge : ce sont les initiales de « Club de Hockey Canadien », le nom officiel de l'équipe. Ses nombreux partisans l'appellent aussi le « Tricolore », les « Habs », la « Sainte-Flanelle » et les « Flying Frenchmen ».

Guy Lafleur porte gravé dans son cœur le bleu-blanc-rouge de son équipe. Il participe à 14 saisons de hockey avec les Canadiens. Il est ailier droit et porte le numéro 10. Les premières années sont difficiles. Guy est impressionné et il doit s'adapter à la discipline d'une équipe professionnelle de ce niveau. Pendant les matchs, il passe beaucoup de temps sur le banc des joueurs à s'impatienter. Il pense qu'il pourrait jouer plus et mieux ! Et puis un jour, lors de l'entraînement, il oublie son casque protecteur au vestiaire. Alors qu'il est un peu fatigué, d'un seul coup, il se met à jouer superbement et à s'amuser ! Il décide sur le champ de ne plus jamais porter de casque : le Démon blond est né ! Tête nue, ses cheveux blonds au vent, il est partout à la fois. Tellement visible et mobile, il vole sur la glace. Ce redoutable attaquant est un virtuose du bâton. Il déploie des prodiges d'imagination pour préparer des jeux qu'il exécute avec tant d'éclat que la foule trépigne d'enthousiasme. Combien de fois entend-elle : « Le but des Canadiens, compté sans aide, par le numéro 10, Guy Lafleur ! »

Son brio permet à son équipe de devenir une puissance au sein de la Ligue nationale. Quatre années de suite, la coupe Stanley défile dans les rues de Montréal, au milieu d'une foule fanatique. Pour Guy, c'est la consécration. Maintenant, au Forum, chaque fois qu'il s'empare de la rondelle, les spectateurs scandent son nom :

- Guy ! **Guy !** Guy !

Lafleur s'impose comme le meilleur joueur de la Ligue nationale. Il devient la personnalité la plus connue du Québec et du monde du hockey. Comme ses idoles autrefois, il entre dans la légende.

LE PLUS BEAU SOUVENIR DE SA CARRIÈRE

« Bien sûr, toutes les coupes Stanley ont été de grands moments. Mais mon meilleur souvenir demeure l'esprit de camaraderie qui régnait dans l'équipe. »

GUY LAFLEUR

Ses adversaires le craignent autant que ses coéquipiers l'apprécient. Tous l'admirent et le respectent. Guy ne compte pas ses efforts sur la glace. Flamboyant et ardent, il vit pour jouer. Il veut toujours se dépasser, être le meilleur. Mais il demeure modeste. Pour lui, quand il marque un but, c'est grâce à tous les autres. Il partage ses succès avec ses coéquipiers qui se sentent plus forts en sa compagnie. Les jours de match, il arrive plusieurs heures en avance

pour s'imprégner de l'atmosphère de l'aréna et imaginer la partie à venir. Il adore l'ambiance du vestiaire. C'est là qu'il se sent à sa place. Assis sur le banc de la chambre des joueurs, vêtu du maillot numéro 10, il est au ciel.

FOU DE VITESSE

Quand Guy Lafleur était petit, il adorait monter sur la locomotive que conduisait son grand-père et se laisser griser par la vitesse. En grandissant, il est devenu un patineur formidablement rapide. Il aime aussi conduire des motos puissantes, des voitures de sport et voler dans les airs à bord d'un hélicoptère !

Les trophées

LA COUPE STANLEY

Chaque année, la LNH décerne la coupe Stanley à l'équipe victorieuse de son championnat. Ce trophée sportif est le plus ancien et le plus célèbre en Amérique du Nord.

En plus des cinq coupes Stanley, à la conquête desquelles il contribue largement, Guy gagne deux fois le trophée Hart qui désigne le joueur le plus utile de son équipe, trois fois le trophée Art-Ross, attribué au meilleur marqueur, trois fois le trophée Lester-B.-Pearson, décerné par l'équipe au joueur

par excellence, et le trophée Conn-Smythe, comme joueur le plus utile des séries. Il est sélectionné six fois au sein de l'équipe d'étoiles. Il représente deux fois le Canada lors de championnats mondiaux. Il reçoit sept fois la coupe Molson en étant élu joueur de l'année par l'équipe des Canadiens. Il est le joueur qui a marqué le plus grand nombre de points de l'équipe. Avec Maurice Richard et Jean Béliveau, il est l'un des trois joueurs à avoir marqué plus de 500 buts.

GUY LAFLEUR EST UN FARCEUR

Une fois, lorsque son équipe a gagné la coupe Stanley, Guy Lafleur l'a subtilisée après la traditionnelle parade. Il l'a exposée dans le jardin de ses parents, à Thurso, à la grande joie de tous les voisins !

Le trophée remis par la Ligue de hockey junior majeur du Québec au joueur le plus utile en séries éliminatoires porte le nom de « trophée Guy-Lafleur ».

Les Rangers de New York

Trois ans après sa retraite de l'équipe des Canadiens, Guy Lafleur joue une saison

avec les Rangers de New York. Il prouve qu'il est toujours un très grand joueur de hockey. Lorsqu'il joue avec son équipe au Forum de Montréal, le public lui accorde une longue ovation.

Depuis, le Forum de Montréal n'existe plus et les matchs de hockey se déroulent maintenant au Centre Bell.

Les Nordiques de Québec

Guy retourne à Québec pour jouer les deux dernières saisons de sa carrière. Partout où il joue, le public, debout, l'applaudit longuement. Lorsqu'il marque son dernier but, le 560e, la foule l'acclame pendant six minutes.

LE CHIEN QUI S'APPELAIT GUY LAFLEUR

Un auteur amérindien, William Patrick Kinsella, raconte l'histoire amusante d'une équipe de hockey originale et pas très douée, qui possédait un chien répondant au nom de Guy Lafleur. Le brave toutou, assis derrière le banc des joueurs, aboyait chaque fois que la rondelle se trouvait dans le camp adverse. Il irritait tellement les hockeyeurs rivaux qu'ils finissaient par perdre la partie, alors qu'ils étaient bien meilleurs.

Le fameux « Guy ! **Guy !** Guy ! » a encore retenti au Forum le jour où les spectateurs ont vu son maillot, le numéro 10, s'élever dans les airs, au-dessus de leurs têtes, pour être immortalisé. L'équipe des Canadiens de Montréal l'a retiré définitivement : plus aucun joueur ne pourra le porter.

Aujourd'hui, Guy Lafleur est ambassadeur pour l'équipe des Canadiens. Il demeure le joueur de hockey le plus aimé des Québécois.

LA FAMILLE DE GUY LAFLEUR

L'épouse de Guy Lafleur s'appelle Lise. Ils ont deux fils, Martin et Mark.

Aux quatre coins du pays, Guy Lafleur encourage les jeunes gens à s'engager dans le sport ou l'activité qu'ils aiment : « que tu sois fille ou garçon, tu peux devenir à ton tour un grand champion ! Tout est possible quand on croit à son rêve et qu'on travaille fort pour le réaliser... »

LE HOCKEY SUR GLACE

Le hockey sur glace est le sport favori des Québécois. Il occupe une grande place dans notre vie, que nous soyons joueurs, spectateurs ou les deux ! Dès le début de l'hiver, sur les patinoires communautaires ou celles aménagées dans les cours derrière les maisons, sur les lacs gelés et dans les arénas, nos hockeyeurs amateurs, garçons et filles, s'en donnent à cœur joie, souvent tard le soir après le souper. Le hockey est aussi à la télévision, à la radio, dans les livres, les films, les jeux vidéo, les chansons et les cartes de collection ! À travers tout le pays, ce sport déclenche les passions.

Il est issu d'un jeu de balle et de bâton très ancien, que les immigrants ont apporté d'Europe. Et il s'est mélangé à un jeu de crosse pratiqué par les Amérindiens. L'invention du patin à glace a permis de l'adapter et il s'est transformé jusqu'au hockey moderne. Ses premières règles ont été établies à Montréal au XIXe siècle.

LE JEU

Le jeu est simple et il va très vite. Il est fait d'affrontements et de stratégies. Les règles sont précises. Les hockeyeurs, chaussés de patins et armés d'un manche en bois en forme de L, appelé bâton de hockey, forment deux équipes. Chacune d'entre elles doit lancer la rondelle dans le filet de l'équipe rivale le plus souvent possible, tout en empêchant les joueurs adverses de l'envoyer dans son propre filet. Les joueurs se font des passes, ils se lancent la rondelle en patinant vers le but. L'équipe qui a marqué le plus grand nombre de buts gagne la partie.

LES JOUEURS

Le jeu se joue à six contre six. Chaque équipe est composée d'un gardien de but et de cinq joueurs. Parmi eux, trois sont des joueurs avant (deux ailiers et un avant-centre) et deux sont des joueurs arrière. On appelle aussi les joueurs avant des « attaquants », car ce sont eux qui sont chargés de marquer les buts, c'est à-dire d'envoyer la rondelle dans le filet. Guy Lafleur a souvent joué dans la position d'ailier droit. Les joueurs arrière sont des « défenseurs », chargés de protéger le gardien de but et de relancer l'attaque. Parfois, ils marquent aussi des buts. Chaque équipe désigne un capitaine, et deux assistants. Ce sont les seuls joueurs qui ont le droit de discuter avec l'arbitre.

Mais une équipe peut compter jusqu'à 22 joueurs, aussi les 16 autres s'assoient sur

un banc situé à l'extérieur de l'aire de jeu. Chacun d'eux ira remplacer un des joueurs sur la patinoire. Ces changements font partie de la stratégie du jeu de l'équipe. Ils interviennent très régulièrement, car l'intensité de l'effort dans le jeu est énorme.

LES ARBITRES

- BUT !

- NON, IL Y AVAIT HORS-JEU !

- JAMAIS DE LA VIE, JE N'ÉTAIS PAS HORS-JEU !

Voilà une scène facile à reconnaître ! Elle explique aussi pourquoi il y a des arbitres lors des matchs. Ils portent un maillot avec des rayures noires et blanches. Ils surveillent que les règles du jeu soient respectées. Quand ils constatent une infraction aux règles, ils infligent des pénalités aux joueurs. Ceux-ci sont alors chassés et restent sur le banc des pénalités pendant au moins deux minutes. Un joueur chassé n'est pas remplacé sur la glace et son équipe compte donc un joueur de moins. On dit qu'elle est en désavantage numérique.

LA DURÉE D'UN MATCH

Un match comprend trois périodes de 20 minutes avec une pause de 15 minutes entre elles. Après chaque période, les joueurs changent de côté. S'il y a égalité après les trois périodes, une prolongation de cinq minutes est possible. Le premier but détermine l'équipe gagnante et la fin de la partie. Si aucun but n'est marqué, des tirs de barrage décident du vainqueur.

LA RONDELLE

Autrefois, le hockey se jouait avec une balle en caoutchouc, mais celle-ci rebondissait partout en faisant parfois des dégâts importants, comme de briser des vitres. Un jour de 1877, William Fleet Robertson, un étudiant de l'université McGill à Montréal, excédé de voir la balle s'envoler parmi les spectateurs, s'en est emparé et l'a découpée en tranches avant d'en lancer la partie plate sur la patinoire. Le jeu a repris de plus belle avec une rondelle qui, plutôt que de rebondir, glissait sur la glace.

Aujourd'hui, la rondelle est fabriquée avec du caoutchouc et de la poussière de charbon. Dure comme du fer, elle peut atteindre une vitesse considérable, entre 100 et 160 km/h.

Une partie de hockey professionnel nécessite entre 30 et 40 rondelles.

LE TERRAIN

Le terrain de jeu est entièrement couvert de glace. On l'appelle une « patinoire ». Elle mesure 60 mètres de long sur 30 mètres de large. Ses coins sont arrondis. Elle est entourée d'une balustrade. De chaque côté, il y a deux cages qui forment les buts. Une des particularités du hockey est que les joueurs peuvent patiner derrière les buts.

Sur la glace sont dessinées des lignes qui délimitent les zones de jeu. Une ligne rouge divise la patinoire en deux camps. Deux lignes bleues la séparent en trois zones, la zone de défense, la zone neutre et la zone d'attaque ; ce sont les mêmes, mais inversées, pour chaque équipe.

La patinoire peut être éclairée par de gros projecteurs, entourée de gradins pour les spectateurs qu'elle soit dans une aréna ou à l'extérieur.

L'ÉQUIPEMENT

La glace est froide et dure, les chutes font mal. La rondelle glisse très vite et cogne comme un boulet de canon. Les bâtons de hockey heurtent les jambes des joueurs, et les affrontements entre eux sont très souvent violents.

Les balustrades et les buts représentent également des dangers quand on arrive dessus à grande vitesse. Aussi, le hockeyeur est vêtu d'un équipement obligatoire très spécialisé destiné à le protéger.

Le gardien de but et les arbitres ont aussi un équipement adapté à leurs fonctions.

LE HOCKEY PROFESSIONNEL

Les 10 étapes à franchir pour devenir joueur professionnel

1-	Débutant	De 5 à 7 ans
2-	Novice	Jusqu'à 9 ans
3-	Atome	De 10 à 11 ans
4-	Pee Wee	De 12 à 13 ans
5-	Bantam	Jusqu'à 15 ans
6-	Midget	Jusqu'à 17 ans
7-	Juvénile	Jusqu'à 19 ans
8-	Hockey junior (A,B,C,D)	Jusqu'à 21 ans
9-	Hockey majeur A	Jusqu'à 21 ans
10-	Hockey professionnel	

Les filles comme les garçons sont passionnées par le hockey. Dans le sport amateur comme aux Jeux olympiques, les hockeyeuses savent se faire remarquer ! En 1993, la Québécoise Manon Rhéaume, bien cachée derrière son casque, a été gardienne de but dans un match de la LNH. Elle est la première femme à avoir joué dans la Ligue nationale. Plus tard, elle est devenue championne olympique.

Aux Jeux olympiques de 2010 à Vancouver, le Canada a gagné une médaille d'or en hockey féminin et une autre en hockey masculin.

LE RÊVE DE TOUS LES HOCKEYEURS : JOUER DANS LA LNH !

La Ligue nationale de hockey ou LNH existe depuis bientôt 100 ans. Elle a été formée à Montréal et regroupe des équipes du Canada et des États-Unis. Aujourd'hui, elle accueille aussi des joueurs venant d'Europe et de Russie. Son niveau de jeu est considéré le meilleur du monde. Voilà pourquoi c'est un grand honneur d'y participer.

Les trophées de la LNH

Coupe Stanley : décernée à la meilleure équipe de hockey

Trophée Hart : décerné au joueur le plus utile à son équipe

Trophée Art-Ross : décerné au champion des marqueurs à la fin de la saison régulière

Trophée Calder : décerné à la meilleure recrue de l'année

Trophée James-Norris : décerné au joueur de défense qui a démontré la plus grande efficacité durant la saison

Trophée Vézina : décerné au meilleur gardien de but

Trophée Maurice-Richard : décerné au joueur qui a marqué le plus de buts en saison régulière

Trophée Lady-Byng : décerné au joueur qui a démontré le meilleur esprit sportif et une grande habilité

Trophée Conn-Smythe : décerné au joueur le plus utile à son club durant les éliminatoires de la coupe Stanley

Trophée Bill-Masterson : décerné au joueur qui a démontré le plus de persévérance, d'esprit sportif et de dévouement pour le hockey

Trophée William-M.-Jennings : décerné aux gardiens de but ayant joué un minimum de 25 matchs durant la saison au sein d'une équipe et ayant la plus basse moyenne de buts accordés

ACTIVITÉS ET MINIQUIZ

ENTRAÎNE-TOI COMME UN CHAMPION !

Jouer au hockey demande beaucoup de force et d'énergie. C'est pour cela qu'il faut participer aux pratiques fixées par ton entraîneur. Les rencontres d'exercices permettent à ton entraîneur de donner des stratégies et de développer l'esprit d'équipe, essentiel dans le sport.

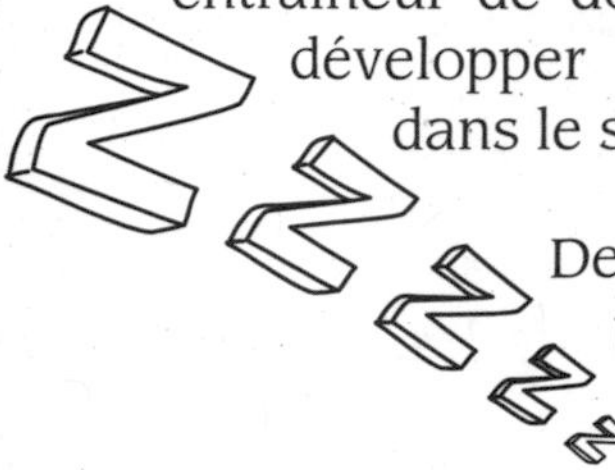

De ton côté, tu dois entretenir ton corps en mangeant et en dormant bien, ainsi qu'en faisant un peu de conditionnement physique tous les jours pour continuer à développer tes muscles et à acquérir de l'endurance. Tu peux accomplir toutes sortes d'exercices simples comme la marche rapide, le vélo, la course, la natation. Tu devrais consacrer une heure par jour à l'exercice, par périodes de 15 à 20 minutes, si tu préfères. Par exemple, aller à l'épicerie en rendant service, ça compte ! Si tu possèdes de petites altères, utilise-les pour renforcer tes bras et tes épaules.

Tu peux aussi faire des exercices au sol pour raffermir tes abdominaux. N'hésite pas à demander à ton professeur d'éducation physique des astuces pour t'améliorer.

Voici quelques idées d'exercices d'échauffement à accomplir sur la glace avec ton équipement avant une partie ou une séance d'entraînement. Il faut les faire lentement et les répéter quatre à huit fois :

1] LE COUP DE PIED AU BÂTON

Cet exercice va fortifier les muscles jumeaux de l'aine et ceux de l'avant des cuisses. Avec ton bâton tendu devant toi à la hauteur de tes épaules, lève ta jambe droite pour toucher le bâton et reste en équilibre sur ta jambe gauche. Recommence en changeant de jambe. Si ça devient trop facile, lève le bâton un peu plus haut !

2] MAINS EN L'AIR

Patine lentement, les pieds écartés de la largeur de tes épaules, en tenant ton bâton de hockey à deux mains au-dessus de ta tête. Ouvre tes jambes le plus possible, en restant confortable. Penche le haut du corps vers l'avant, jusqu'à porter ton bâton sur tes patins. Tiens cette position pendant quelques secondes, reviens à ta position debout, patine un peu et recommence.

3] ÉTIREMENT DE L'AINE

Après avoir fait quelques fois le tour de la glace pour te réchauffer, essaie de glisser vers l'avant sur un patin en pliant le genou. Étends l'autre jambe derrière toi, le pied tourné pour que la lame du patin soit dirigée vers la glace. Garde la tête levée, tiens ton bâton pour rester en équilibre et essaie de garder le plus de poids sur ton pied avant. Recommence en pliant l'autre genou.

4] EN HAUT, EN BAS

Glisse sur tes patins et tiens ton bâton au dessus de ta tête. Puis penche-toi et touche le bout de tes patins avec ton bâton en pliant légèrement les jambes. Tu dois sentir un étirement des longs muscles derrière les jambes. Ne courbe pas le dos, mais garde-le parallèle à la glace pour ne pas tomber.

BIEN MANGER POUR BIEN JOUER

Pour obtenir l'énergie nécessaire pour jouer au hockey, le plus important est de bien s'alimenter. Il faut incorporer trois variétés d'aliments dans tes habitudes pour obtenir un rendement maximum.

Les glucides sont la source d'énergie principale et la plus efficace. Tu en trouves dans le pain, les fruits, les légumes, le riz, les pâtes et les pommes de terre (sauf les pommes de terre frites...). Il est important d'en manger tous les jours en grande quantité pour alimenter correctement tes muscles.

Les protéines bâtissent ton corps et maintiennent un bon tonus musculaire. Tu en trouves dans la viande maigre, le poisson, les œufs, la volaille, le lait, le fromage et les légumineuses. Il faut en consommer tous les jours.

Les lipides fournissent à ton corps l'énergie dont il a besoin. Ce groupe d'aliments sert de réserve. Tu en trouves dans les noix, le fromage, le beurre, la viande. Ton corps peut emmagasiner les graisses. Tu n'as pas besoin d'en consommer beaucoup.

AVANT UN MATCH DE HOCKEY

- DANS L'HEURE QUI PRÉCÈDE LE MATCH, PRENDS DES petites collations FACILES À DIGÉRER, COMME UN FRUIT OU UN YOGOURT.

- BOIS BEAUCOUP, DE L'EAU OU DU JUS DE FRUIT, PAR EXEMPLE, POUR bien t'hydrater.

- Mange au moins 2 heures avant le match. PRENDS UN REPAS FAIBLE EN GRAS, MAIS RICHE EN GLUCIDES POUR FACILITER LA DIGESTION ET OBTENIR L'ÉNERGIE NÉCESSAIRE.

PENDANT UN MATCH

- SI LA PARTIE EST INTENSIVE, il faut se ressourcer en glucides. MANGE UN FRUIT OU UNE BARRE TENDRE PENDANT LES PÉRIODES DE REPOS.

- Bois beaucoup ET MÊME AU-DELÀ DE TA SOIF AFIN D'ÉVITER LA DÉSHYDRATATION. PRENDRE 60 À 120 MILLILITRES [1/4 À 1/2 TASSE] DE LIQUIDE RÉGULIÈREMENT TOUTES LES 10 À 15 MINUTES. CELA ÉVITE UN GONFLEMENT EXCESSIF DE L'ESTOMAC, DIMINUE LE RISQUE DE FATIGUE PRÉMATURÉE ET AIDE À MAINTENIR LA PERFORMANCE.

FABRIQUE TA PROPRE BOISSON !

Tu peux boire une boisson énergisante que tu achètes ou composer toi-même une recette de potion magique en mélangeant :

- 900 ml d'eau
- 100 ml de jus d'orange
- 2 cuillères à table de sucre blanc
- 1 pincée de sel

Rappelle-toi que :

- MOINS TU AS DE TEMPS, PLUS TU DOIS MANGER DES ALIMENTS LIQUIDES.

- PLUS LE MATCH APPROCHE, MOINS TU DOIS MANGER DE VIANDE.

- ÉVITE LES ALIMENTS TROP SUCRÉS, COMME LES GÂTEAUX, LES BISCUITS ET LES BONBONS.

- FAVORISE TOUJOURS LA CATÉGORIE DES GLUCIDES, COMME LE PAIN ET LES CÉRÉALES, LA SOUPE AU RIZ OU AUX NOUILLES.

- ÉVITE DE MANGER UNE HEURE AVANT LE MATCH.

- BOIS 400 À 600 MILLILITRES D'EAU, C'EST-À DIRE DE UNE À DEUX BOUTEILLES, ENTRE TON DERNIER REPAS ET LE MATCH.

APRÈS UN MATCH

Alimente-toi après un match ou après l'entraînement pour réparer tes fibres musculaires endommagées par l'exercice et pour refaire le plein d'énergie.

Tu dois :

- BOIRE TOUT CE QUI A ÉTÉ PERDU PAR LA TRANSPIRATION.
- CONSOMMER DES GLUCIDES ET DES PROTÉINES DANS LES TRENTE MINUTES QUI SUIVENT L'EFFORT.

LE LAIT AU CHOCOLAT

C'est l'aliment de choix après le sport ! En effet, il contient du liquide, des glucides et des protéines.

LE SECRET GOURMAND DU JOUEUR DE HOCKEY : LE PETIT CARRÉ ÉNERGISANT

- **1 tasse de capuchons de caroube malté** (ne pas prendre la caroube ordinaire)
- **1 tasse de raisins secs**
- **1/4 de tasse de graines de tournesol** (non salées)
- **1/4 de tasse d'amandes blanchies et de noix de cajou**

Faire fondre la caroube au four à micro-ondes en évitant de trop la faire cuire, car ça la ferait durcir. Ajouter ensuite les raisins, les graines de tournesol et les arachides, les uns après les autres. Bien mélanger. Déposer à la cuillère sur une assiette en tôle recouverte de papier ciré. Ou bien étendre le mélange de façon uniforme et le couper en carrés. Refroidir au frigo environ 20 à 30 minutes.

La caroube est un substitut du cacao, une excellente alternative pour la santé. Sans caféine, la caroube contient moins de protéines et de matières grasses, tout en offrant plus de fibres et de calcium.

Des charades

(solutions p. 67)

1 Mon premier est la première syllabe d'une savoureuse noix que l'on trouve dans les desserts dont la tarte au sucre.

Mon deuxième est un diminutif du mot petit.

Mon troisième est la couleur de peau d'une Haïtienne.

Mon tout est essentiel pour jouer une partie de hockey.

....

2 Mon premier est une pièce de jeu.

Mon deuxième est quelqu'un qui sait beaucoup de choses.

Mon troisième désigne le nombre d'années de vie.

Mon tout est la conséquence d'une pénalité.

....

Mon premier est une arme.

Mon deuxième est une note de musique.

Mon troisième est une pièce de jeu.

Mon tout, ce sont des tirs au but effectués à tour de rôle par les joueurs de chaque équipe en fin de partie, lorsque le pointage est nul après la prolongation.

....

4

Mon premier est le pluriel de « un ».

Mon deuxième est ce que l'on dépose en garantie.

Mon troisième est l'action de ne pas dire la vérité.

Mon tout décrit le jeu d'un joueur qui envoie la rondelle à l'autre bout de la patinoire.

....

5

Mon premier est le nom d'une île française située dans l'Atlantique.

Mon deuxième est le vêtement que l'on porte.

Mon tout est le signal que l'arbitre fait en serrant son poignet lorsqu'un joueur retient un adversaire avec les mains ou les bras.

....

6

Mon premier orne les châteaux.

Mon deuxième est une dette.

Mon troisième est un animal domestique.

Mon quatrième recouvre les os.

Mon tout est l'expression employée lorsqu'on a compté trois buts au cours de la même partie.

....

Fabrique une patinoire

Règle n°1 : Demande la permission à tes parents.

Règle n°2 : Il faut que la température extérieure soit inférieure au point de congélation, soit en dessous de -5 °C.

1. DÉTERMINE LES DIMENSIONS DE LA PATINOIRE ET CHOISIS UN ENDROIT PLAT ET GAZONNÉ.

2. LE SOL DOIT ÊTRE COUVERT D'UNE COUCHE DE NEIGE DE 5 CENTIMÈTRES. TASSE LA NEIGE S'IL Y A PLUS DE 10 CENTIMÈTRES. ON PEUT AUSSI ARROSER DIRECTEMENT LE GAZON, MAIS C'EST PLUS LONG.

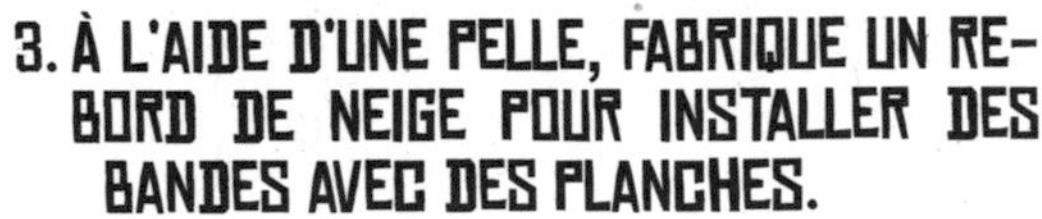

3. À L'AIDE D'UNE PELLE, FABRIQUE UN REBORD DE NEIGE POUR INSTALLER DES BANDES AVEC DES PLANCHES.

4. AVEC UN TUYAU D'ARROSAGE, ARROSE LE SOL JUSQU'À CE QU'IL DEVIENNE DE LA NEIGE FONDANTE. LAISSE-LE GELER.

5. ARROSE LA LARGEUR DE LA PATINOIRE EN COUVRANT UNE PETITE PARTIE À LA FOIS AVEC UN MOUVEMENT DE VA-ET-VIENT. ATTEND QUE L'EAU GÈLE ET AJOUTE DE L'EAU. CELA PEUT DEMANDER QUELQUES JOURS ET PLUSIEURS ARROSAGES POUR OBTENIR UNE BONNE COUCHE DE GLACE SOLIDE.

6. LE MEILLEUR MOMENT POUR L'ARROSAGE EST LE SOIR.

L'intrus

Dans ces phrases, trouve ce qui n'appartient pas au monde du hockey. (solutions p. 67)

1 Guy Lafleur est le marqueur étoile qui a permis aux Canadiens de Montréal de remporter quatre fois la Bobine d'or dans les années 1970.

2 Pour s'amuser et conserver ses souvenirs, Nicolas fabrique un album de hockey. À l'intérieur, il colle des photos de ses joueurs préférés et note des informations comme le nombre record de paniers marqués par un joueur.

3 Le Club de Hockey Canadien de Montréal est l'équipe qui a remporté le plus souvent la coupe Stanley. Il a également souvent gagné le Grand Chelem.

4 Le lever de bâton est une des techniques du joueur de hockey. Il suffit simplement de rattraper le joueur qui a le ballon, de glisser son bâton sous le sien et de le soulever pour envoyer le ballon plus loin.

5 Parmi les joueurs de hockey préférés d'Antonin se trouvent Jaroslav Halak, Mike Cammalleri, Patrick Leduc et Maxim Lapierre. Parmi les légendes du hockey figurent Guy Lafleur, Jean Béliveau et Gilles Villeneuve.

6 Maurice Richard a été nommé l'étoile du match à trois reprises lors d'une victoire de 5-1 des Canadiens de Montréal contre l'équipe de Toronto au Stade Olympique, alors qu'il avait marqué cinq buts. Il a été gratifié d'une ovation du public debout.

Le sais-tu ? (solutions p. 67)

1 Quelle équipe de la LNH a gagné le plus souvent la coupe Stanley ?

a. LES FLYERS DE PHILADELPHIE

b. LES SABRES DE BUFFALO

c. LES CANADIENS DE MONTRÉAL

2 Quelle est la technique la plus importante qu'un joueur de hockey doit maîtriser ?

a. PASSER

b. PATINER

c. LANCER

Quel trophée de la LNH ne peut être gagné qu'une seule fois par un joueur ?

a. CONN-SMYTHE

b. ART-ROSS

c. CALDER

Qui a inventé la machine pour refaire la surface de la glace ?

a. MICHEL BERGERON

b. JACQUES DEMERS

c. FRANK ZAMBONI

5

Combien de matchs réguliers chaque équipe de la LNH joue-t-elle pendant la saison ?

a. 82

b. 46

c. 70

6

Quel est le nom de la mascotte de l'équipe des Canadiens de Montréal ?

a. LA PIEUVRE

b. YOUPPI

c. ICEBURG

7

Comment s'appelle le joueur qui joue sa première saison avec une équipe ?

a. UN NOUVEAU

b. UN AMATEUR

c. UNE RECRUE

8

Avec quelle équipe de la Ligue junior majeur Guy Lafleur jouait ?

a. LES CATARACTES DE SHAWINIGAN

b. L'OCÉANIC DE RIMOUSKI

c. LES REMPARTS DE QUÉBEC

Dans quelle ville Guy Lafleur est né ?

a. CHICOUTIMI

b. THURSO

c. GOUDARGUES

Le masque

Peux-tu croire que les gardiens de but ne portaient pas de masque autrefois ? Ce n'est qu'en 1959 que Jacques Plante, un joueur de l'équipe des Canadiens de Montréal s'est confectionné un masque et l'a introduit dans la pratique du hockey après avoir été sérieusement blessé.

Depuis quelques années, le masque revêt toutes sortes de dessins. Sur les pages suivantes, amuse-toi à dessiner le masque de hockey de tes rêves.

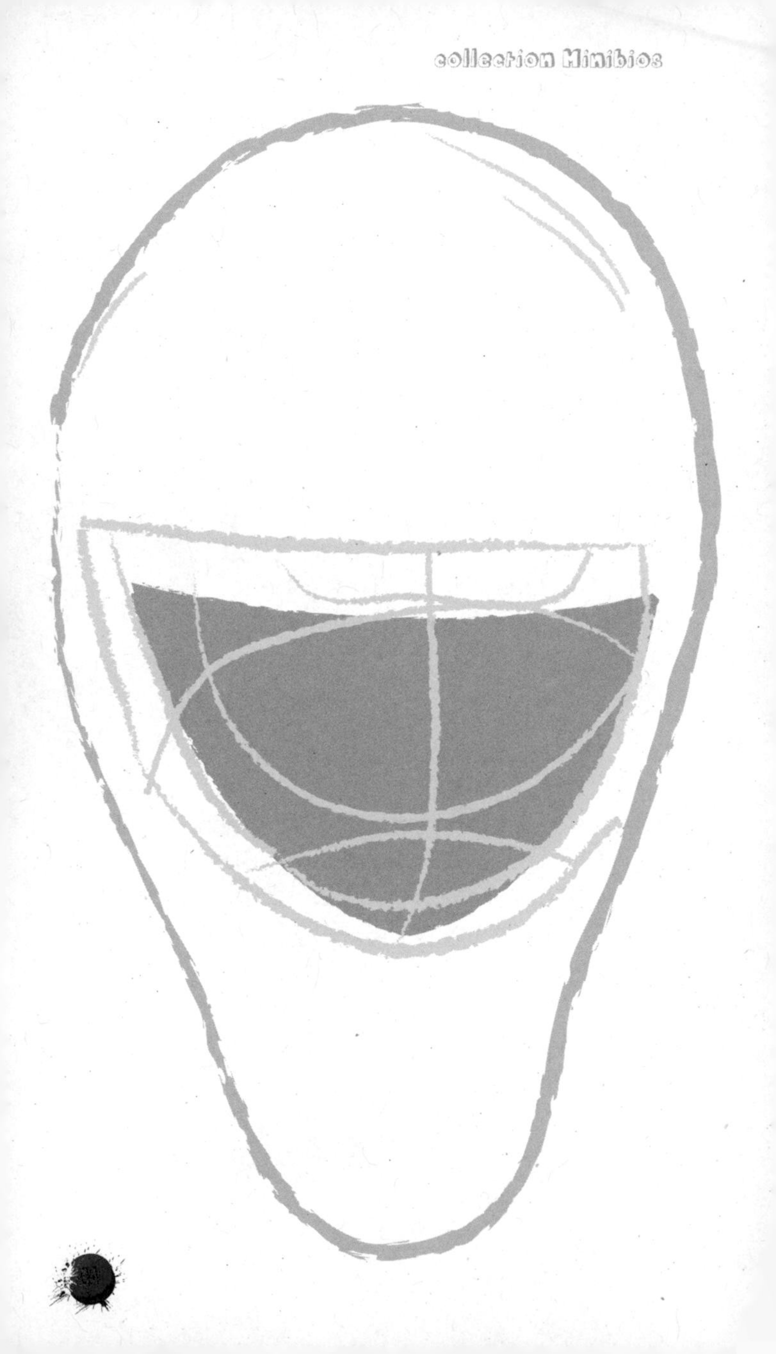
collection Minibios

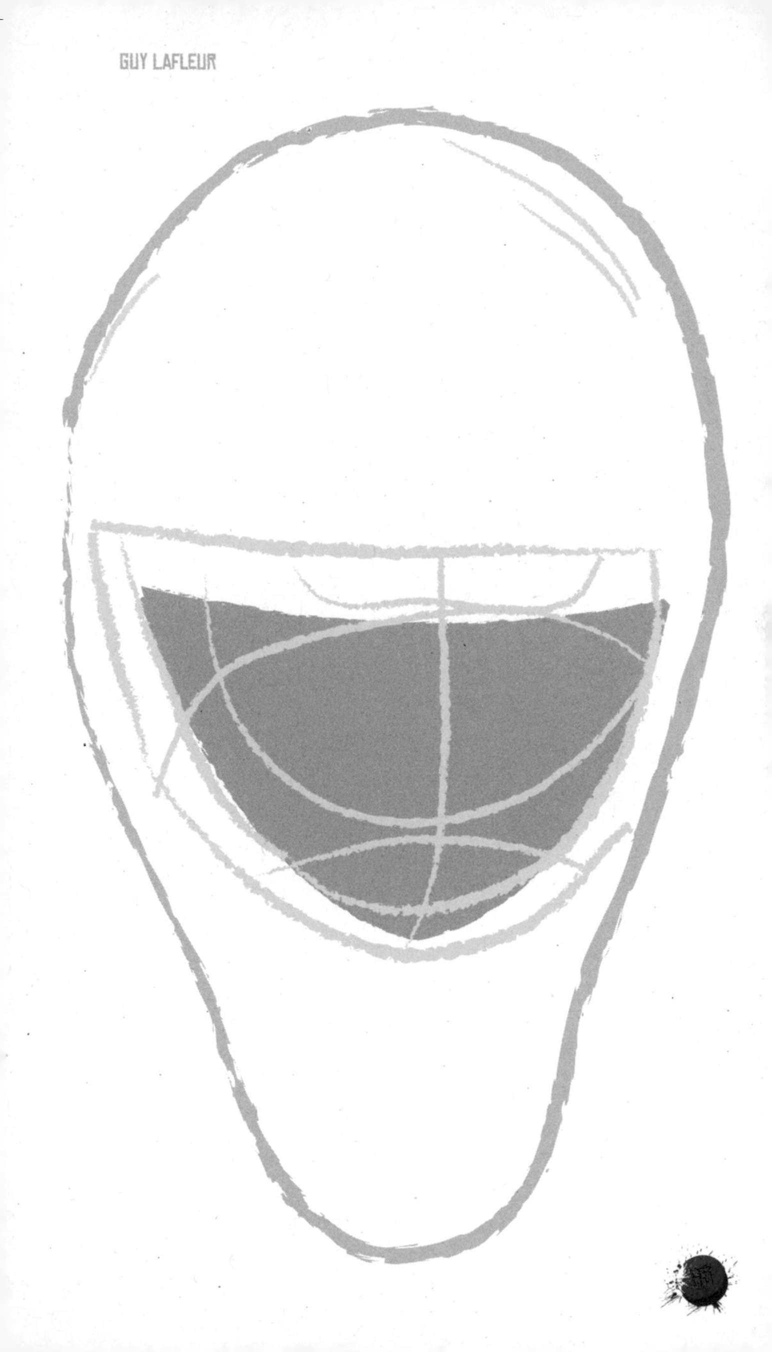
GUY LAFLEUR

SOLUTIONS

Des charades

1. Pa(cane)/(pe)tit/noire = Patinoire
2. Dé(sert)/savant/âge = Désavantage
3. Fusil/la/dé = Fusillade
4. Dé/gage/ment = Dégagement
5. Ré/tenue = Retenue
6. Tour/dû/chat/peau = Tour du chapeau

L'intrus

1. Bobine d'or
2. paniers
3. le Grand Chelem
4. le ballon
5. Patrick Leduc — Gilles Villeneuve
6. Stade olympique

Le sais-tu ?

1. c. Les Canadiens de Montréal
2. b. Patiner
3. c. Calder
4. c. Frank Zamboni
5. a. 82
6. b. Youppi
7. c. Une recrue
8. c. Les Remparts
9. b. Thurso

BIOGRAPHIES DES AUTEURES

Christine Ouin adore raconter des histoires, et particulièrement aux enfants! Cette Française a choisi le Québec comme terre d'adoption et souhaite partager l'amour qu'elle porte aux gens de ce pays en faisant connaître aux plus jeunes le destin de leurs illustres aînés.

Depuis près de trente ans, Louise Pratte fait la promotion de la lecture auprès des jeunes, des enseignants, des bibliothécaires et des animateurs. Son but : donner le goût de la lecture et faire connaître la littérature jeunesse, notamment grâce à son métier de libraire jeunesse.

L'utilisation de 924 lb de SILVA ENVIRO 140M plutôt
que du papier vierge aide l'environnement des façons suivantes :
Arbres sauvés : 8
Réduit la quantité d'eau utilisée de 21 415 L
Réduit les émissions atmosphériques de 497 kg
Réduit la production de déchets solides de 226 kg

C'est l'équivalent de :
Arbre(s) : 0,2 terrain de football américain
Eau : douche de 1 jour
Émissions atmosphériques : émissions de 0,1 voiture par année

Marquis imprimeur inc.

Québec, Canada
2010